D1095246

Франческа Саймон

УЖАСНЫЙ ГЕНРИ

Иллюстрации Тони Росса

МОСКВА

РОСМЭН

2010

УДК 821.111
ББК 84(4Вел)
С14

Francesca Simon
HORRID HENRY

Перевод с английского Н. Конча и М. Мельниченко

Наш адрес в Интернете: **www.rosman.ru**

Саймон Ф.
С14   Ужасный Генри. – М.: ЗАО «РОСМЭН-ПРЕСС», 2010. – 96 с. —
(Ужасный Генри).

    Генри – самый ужасный мальчик в своей школе. Каждый день он приду-
мывает невероятные шалости и попадает из-за них в различные переплеты.
В этой книге четыре ужасно смешных и интересных рассказа из жизни Ужасного Генри: «Как Ужасный Генри решил стать послушным», «Ужасный Генри
танцует», «Ужасный Генри и Мерзкая Маргарет», «Как Ужасный Генри провел
каникулы».

УДК 821.111
ББК 84(4Вел)

ОГЛАВЛЕНИЕ

1
КАК УЖАСНЫЙ ГЕНРИ РЕШИЛ СТАТЬ ПОСЛУШНЫМ

Генри — ужасный мальчик.

Все это знают, даже его мама.

Генри толкается, брыкается, бодается, швыряется едой и хватает куски у вас из-под носа. Даже его плюшевый мишка старается не попадаться ему на глаза.

Поведение Генри приводит маму и папу в отчаяние.

— Что же нам делать с этим гадким мальчишкой? — вздыхает мама.

— Как вообще у таких милых людей, как мы, мог вырасти настолько противный ребенок? — удивляется папа.

Когда родители ведут Генри в школу, они нарочно идут чуть позади и делают вид, что это вовсе не их мальчик.

— Это Ужасный Генри, — шепчут другие малыши своим родителям и показывают на него пальцем.

— Это он бросил в лужу мою курточку!

— Это он раздавил жука Билли.

— Это он...

Подумай о самом мерзком поступке, какой только можно вообразить, — уверяю тебя, Генри уже сделал эту гадость.

У Ужасного Генри есть младший брат. Его зовут Послушный Питер. Еще ни разу в жизни он не

забыл сказать «пожалуйста» или «спасибо». Послушный Питер любит овощи.

У Послушного Питера всегда в кармане носовой платок, и он никогда-никогда не ковыряет в носу.

— Ну почему ты не можешь быть таким послушным, как Питер? — спросила однажды у Генри мама.

Генри, как обычно, пропустил ее слова мимо ушей. Он был очень занят: наблюдал, как плавятся на батарее восковые мелки Питера.

Но вдруг он задумался: «А что, если бы я и в самом деле стал таким же послушным, как Питер?»

Следующее утро началось необычно. Генри не вылил ведро воды на голову Питеру.

Питер не завопил.

Родители проспали, а Генри и Питер опоздали в школу.

Генри ликовал.

А Питер огорчился.

Но, как все послушные мальчики, не стал хныкать.

...В машине Генри, как всегда, хотелось сесть вперед, но он не стал ругаться из-за этого с Питером.

Когда они вернулись домой, Послушный Питер построил замок из кубиков, и Генри его не разрушил. Он сел на диван и принялся читать книжку.

В комнату прибежали мама с папой.

— Почему так тихо? — вскричала мама. — Ты опять сделал какую-то гадость, Генри?

— Нет.

— Питер, Генри разрушил твой замок, да?

Питеру очень хотелось сказать «да», но он знал, что врать — нехорошо.

— Нет.

«Почему Генри так странно себя ведет?» — подумал Послушный Питер.

— Генри, что это ты делаешь? — поинтересовался папа.

— Читаю замечательную сказку о супермыши.

Папа еще ни разу не видел, чтобы Генри читал книжку. «Наверное, он спрятал за ней комиксы», — подумал папа, но оказалось, что нет.

Никаких комиксов не было. Генри в самом деле читал книжку.

— Гм-м... — хмыкнул папа.

Наступило время ужина. Генри проголодался. Он пошел на кухню посмотреть, что готовит папа, но не стал, как обычно, орать с порога: «Я хочу есть! Где мой ужин?»

Нет, Генри сказал совсем другое:

— Папа, ты, наверное, устал. Давай я тебе помогу.

— Опять твои гадкие выходки, Генри? — по привычке проворчал папа, засыпая горошек в кастрюлю. И вдруг он замер: — Что ты сказал?

— Папочка, давай я тебе помогу, — предложил Послушный Питер.

— Я сказал, что хочу тебе помочь, — ответил Генри папе.

— Я первый предложил, — сказал Питер.

— Генри только устроит беспорядок, — рассудил папа. — Питер, давай ты почистишь морковку, а я присяду на минутку.

— С удовольствием!

Питер вымыл свои и без того чистые ручки.

Питер надел чистый фартук.

Питер аккуратно закатал рукава своей чистенькой рубашки.

Питер ожидал, что Генри кинется отбирать у него ножик.

И ошибся. Генри принялся накрывать на стол.

В кухню вошла мама.

— Как вкусно пахнет! Спасибо, милый мой Питер, что накрыл на стол. Какой же ты у нас умница!

Питер промолчал.

— Мам, это я накрыл на стол, — вмешался Генри.

Мама оглядела Генри с головы до ног.

— Ты?

— Я.

— С чего бы это?

— Просто хотел помочь, — с улыбкой ответил Генри.

— Ты опять сделал какую-то гадость, да, Генри? — догадался папа.

— Нет.

— А я накрою на стол завтра, — объявил Послушный Питер.

— Спасибо, солнышко, — сказала мама.

— Все к столу! — скомандовал папа.

Все сели за стол.

На ужин были макароны, тефтели и вареный горошек с морковкой.

Генри взял нож и вилку и принялся за еду.

Он не кидался горошком в Питера и не чавкал.

Он жевал с закрытым ртом и сидел ровно.

— Сядь ровно, Генри, — сказал папа.

— Я и сижу ровно.

Папа поднял голову.

— И правда... — удивленно пробормотал он.

Послушный Питер потерял аппетит. Почему это Генри не кидается в него горошком?

Питер взял горошинку и исподтишка бросил ее в Генри.

— Ой!

— Генри, веди себя прилично, гадкий мальчишка! — сказала мама.

Генри хотел было набрать полный кулак гороха, но вдруг вспомнил, что решил быть послушным.

Питер ухмыльнулся и стал ждать. Однако горох в него так и не полетел.

Послушный Питер не мог понять, что происходит. Почему, к примеру, никто не пинает его под столом?

Питер медленно вытянул ногу и пнул Генри.

— ОЙ!

— Веди себя прилично, гадкий мальчишка! — сказал папа.

— Но ведь это... — начал Генри.

Ему ужасно хотелось в отместку пнуть Питера изо всех сил, но он снова вспомнил, что решил быть послушным, и молча вернулся к еде.

— Ты сегодня какой-то тихий, Генри, — заметил папа.

— В тишине пища лучше усваивается, — ответил Генри.

— Генри, где твой горошек и морковь? — спросила мама.

— Я их съел. Было очень вкусно.

Мама заглянула под стол, потом под стул и даже под тарелку Генри.

— Ты в самом деле съел горох и морковку? — недоверчиво переспросила мама и
потрогала лоб Генри. — Ты себя хорошо
чувствуешь?

— Да, — ответил Генри и быстро добавил: — Спасибо за беспокойство.

Мама с папой переглянулись. Что происходит?

Оба уставились на Генри.

— Иди сюда, дай я тебя поцелую, — позвала его мама. — Ты хороший мальчик. Хочешь кусочек пирога?

— Нет, спасибо, — вмешался Питер. — Я бы лучше съел еще немного овощей.

Генри позволил себя поцеловать. До чего же, оказывается, трудно быть послушным!

— А я бы с удовольствием съел кусочек пирога, — проговорил Генри и улыбнулся Питеру.

Терпение Питера лопнуло. Он взял тарелку. Сейчас Генри получит!

Питер швырнул макароны.

Генри увернулся.

ШЛЕП!

Макароны попали
прямо маме в голову.
По шее у нее потек
кетчуп и закапал на
новый желтый сви-
тер.

— ПИТЕР!!! —
хором заорали ро-
дители.

— ТЫ УЖАСНЫЙ МАЛЬЧИШКА! — закричала мама.

— МАРШ В СВОЮ КОМНАТУ! — закричал папа.

Послушный Питер заплакал и выбежал из кухни.

Мама вытерла с лица кетчуп. Как же смешно она выглядит!

Генри из последних сил старался не рассмеяться. Он крепко-накрепко сжал губы.

Но... Должна признать, что Генри не сдержался и хихикнул.

— Ничего смешного! — взревел папа.

— Марш в свою комнату! — приказала мама.

Генри не расстроился.

Кто бы мог подумать, что послушным быть так весело!

2

УЖАСНЫЙ ГЕНРИ ТАНЦУЕТ

Бух! Бух! Бух! Бух! Бух! Бух! Бух!

Ужасный Генри репетирует танец слона.

Топ. Топ. Топ. Топ. Топ. Топ. Топ. Топ.

Послушный Питер репетирует танец капельки.

Питер усердно готовился выступить на концерте в роли капельки.

На этом концерте Генри тоже будет капелькой.

Да только ему эта роль не по душе.

Так же как и все остальные роли в этом спектакле: помидорок, фасолинок и бананов.

Бух! Бух! Бух! — стучали тяжелые ботинки Генри.

Топ! Топ! Топ! — отбивали ритм легкие туфельки Питера.

— Генри, ты неправильно танцуешь! — заметил Питер.

— Нет, правильно.

— Нет, неправильно! Мы ведь капельки.

Бух! Бух! Бух! — топал Генри. Никакая он не капелька. Он слон, который ломится сквозь джунгли, сметая все на своем пути.

— Я не могу сосредоточиться, когда ты так топочешь, — заныл Питер. — Мне надо репетировать. Я ведь буду главной капелькой.

— Ну и что? — завопил Ужасный Генри. — Я ненавижу танцевать! Я ненавижу танцы! А больше всего на свете я ненавижу тебя!

Надо сказать, тут Генри немножко соврал. Он любил танцевать и часто танцевал в своей комнате. А еще он всегда пританцовывал, спускаясь по лестнице. Он танцевал на новом диване и даже на кухонном столе.

Но Генри терпеть не мог танцевать с другими детьми. Каждую субботу он говорил:

— Можно, я пойду на карате?

— Нет, — отвечала мама. — Карате —
слишком жестоко.

— А на дзюдо?

— НЕТ! — отвечал папа. — Разве непо-
нятно?

И каждую субботу, утром, без четверти
десять, папа отвозил Генри и Питера в кру-

жок танцев, который вела мисс Пуанта Фурия.

Мисс Пуанта Фурия была тощей и костлявой, с седыми патлами, с длинным носом, острыми локтями и коленками. Она никогда не улыбалась.

Может быть, потому, что Пуанта Фурия ненавидела свою работу.

Она ненавидела шум.

Она ненавидела детей.

Но больше всего она ненавидела Ужасного Генри.

И неудивительно.

Когда мисс Фурия кричала: «Дети! Поднимите левую ногу!» — одиннадцать детей поднимали левую ногу, и только один поднимал правую.

Когда мисс Фурия надрывалась: «Пятка-носок! Пятка-носок!» — одиннадцать детей семенили по залу, ступая сначала на пятку, а потом на носок, и только один неуклюжий мальчишка сначала ступал на носок, а потом на пятку.

Когда мисс Фурия вопила: «Дети! Повернитесь направо!» — одиннадцать детей поворачивались направо, и только один — налево.

Само собой, никто не хотел танцевать с Генри и даже рядом с ним. К сожалению, так было и сегодня.

— Мисс Фурия, Генри мне ногу отдавил! — взвыл Длинноногий Джеффри.

— Мисс Фурия, Генри меня пнул! — захныкала Ленивая Линда.

— Мисс Фурия, Генри меня толкнул! — пожаловалась Виолетта-Воображала.

— ГЕНРИ! — взвизгнула мисс Фурия.

— Чего?

— Я человек терпеливый, но даже моему терпению есть предел! Ты скоро выведешь меня из себя! — прошипела она. — Веди себя прилично, иначе будет плохо!

— А плохо — это как? — полюбопытствовал Ужасный Генри.

Мисс Фурия медленно провела длинным костлявым пальцем себе по горлу.

Генри решил отложить военные действия. Он встал в сторонке и заскрежетал зубами — он превратился в огромного крокодила, мечтающего проглотить мисс Фурию.

— Сегодня у нас генеральная репетиция! — рявкнула мисс Фурия. — Я хочу, чтобы вы все постарались.

Одиннадцать детей преданно закивали, и только один, нахмурившись, уставился в пол.

— Так, помидорки и фасолинки выходят вперед, — распорядилась мисс Фурия. — Когда мисс Брям заиграет, все тянем ручки к небу, приветствуя утреннее солнышко. Капельки стоят позади возле больших зеленых листьев до тех пор, пока фасолинки не отыщут волшебные бананы. А ты, Генри, — злобно добавила мисс Фурия, — постарайся ХОТЬ РАЗ ничего не напутать! Так, все по местам! Мисс Брям, музыку, пожалуйста! — гаркнула она.

Мисс Брям забарабанила по клавишам.

Помидорки кружили по сцене.

Фасолинки прыгали.

Бананы покачивались из стороны в сторону.

Капельки стучали каблуками.

Но Генри было наплевать на то, что он тоже капелька. Бешено размахивая руками, он помчался по сцене и врезался в фасолинок.

— ГЕНРИ! — заверещала мисс Фурия.

— Что? — хмуро спросил Генри.

— Иди сядь в угол!

Генри был счастлив: наконец-то не надо танцевать с другими детьми! А из своего угла он может строить гадкие рожи Питеру, исполняющему танец главной капельки.

Топ. Топ. Топ. Топ. Топ. Топ. Топ. Топ-топ. Топ-топ. Топ-топ. Топ-топ. Топ. Топ. Топ. Топ-топ. Топ. Топ-топ. Топ. Топ-топ. Топ-топ. Топ-топ. Топ.

— Мисс Фурия, я хорошо танцевал? — спросил Питер.

Мисс Фурия вздохнула.

— Великолепно, Питер. Ты всегда все делаешь великолепно! — сказала она, и уголки ее губ дрогнули — более широкой улыбки она себе никогда не позволяла.

Тут взгляд мисс Фурии упал на сгорбившегося в углу Генри, и она снова стала мрачнее тучи.

Мисс Фурия сдернула Генри со стула и потащила в глубину сцены. Она поставила его позади всех капелек за большим зеленым листом.

— Будешь стоять здесь! — рявкнула мисс Фурия.

— Но ведь здесь меня не видно, — возразил Генри.

— Вот именно!

Наконец наступил долгожданный день.

Еще мгновение — и занавес поднимется.

Все дети уже стоят на своих местах.

Послушный Питер так волнуется, что аж подпрыгивает на месте, хотя вообще-то он очень сдержанный мальчик и всегда ведет себя прилично.

А Ужасный Генри и не думает волноваться.

Он не хочет быть капелькой.

И уж тем более не хочет быть капелькой, танцующей за большим зеленым листом.

Мисс Брям протопала к пианино и застучала по клавишам.

Занавес поднялся.

Мама и папа Генри, как и родители других детей, пришли посмотреть на выступление.

Только сели они в самом последнем ряду, чтобы в случае чего незаметно сбежать.

Они улыбались и махали Питеру, гордо стоявшему посреди сцены.

— А где Генри? — прошептала мама.
Папа прищурился.

Рыжая макушка торчала из-за большого зеленого листа.

— Кажется, вон там, за листом, — неуверенно ответил папа.

— Интересно, чего это он прячется? — удивилась мама. — Он у нас не из робких.

— Гм-м...

— Тс-с... — зашикали на них со всех сторон.

Из-за своего зеленого листа Генри хмуро глядел, как помидорки и фасолинки носятся по сцене на цыпочках и ищут волшебные бананы.

«Ну уж нет, не буду я здесь стоять», — подумал он и пошел вперед, распихивая других капелек.

— Генри, не толкайся, — прошипела Ленивая Линда.

Но это его не остановило. Освободив себе место, Генри принялся приплясывать: топ. Топ-топ.

Из-за кулисы показалась костлявая рука мисс Фурии и утащила Генри назад за листок.

«Больно мне надо быть капелькой! — подумал Генри. — За этим листом я могу делать что хочу».

Помидорки кружили по сцене.

Фасолинки прыгали.

Бананы покачивались из стороны в сторону.

Капельки стучали каблуками.

Генри замахал руками и превратился в злющего птеродактиля.

Он стал описывать круги над мисс Фурией. Еще секунда — и он схватит ее своими когтистыми лапами.

Послушный Питер вышел вперед и начал танец главной капельки.

Топ. Топ. Топ. Топ. Топ. Топ. БУБУХ!

Большой зеленый лист рухнул прямо на капелек.

Капельки повалились на помидорок.

Помидорки полетели на фасолинок.

Фасолинки врезались в бананы.

Послушный Питер оглянулся: «Что там такое?» И свалился со сцены в зал.

Мисс Фурия упала в обморок.

На сцене остался стоять только Генри.

Бух. Бух. Бух. Бух. Бух. Бух. Бух.

Генри   исполнял
танец слона.

Бум. Бум. Бум.
Бум. Бум. Бум.
Бум.

Теперь он
изображал
дикого бизона.

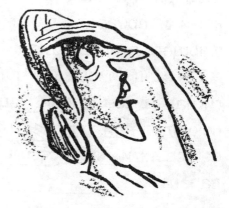

Питер попытался влезть обратно на сцену.

Занавес опустился.

В наступившей тишине кто-то захлопал. Это были мама и папа Генри.

Но их никто не поддержал, и они тоже перестали хлопать.

Родители других детей с криками бросились к мисс Фурии.

— Не понимаю, почему вы дали этому гадкому мальчишке такой длинный танец?! А моя замечательная Линда все время провалялась на полу! — возмущалась мама Линды.

— Мой Джеффри танцует в сто раз лучше, чем этот карапуз! Почему вы не поручили сольный танец моему сыну? — возмущался папа Джеффри.

— Если бы я только знала, что вы учите современным танцам, мисс Фурия!.. — возмущалась мама Виолетты. — Идем, доченька, — добавила она и вылетела из зала.

— ГЕНРИ!!! — заверещала мисс Фурия. — Не смей больше приходить в мой кружок!

— Ур-ра! — обрадовался Генри. В следующую субботу его наконец-то поведут на карате.

3

УЖАСНЫЙ ГЕНРИ И МЕРЗКАЯ МАРГАРЕТ

— Я капитан Крюк!

— Нет, я!

— Я! — кричал Ужасный Генри.

— Нет, я! — вопила Мерзкая Маргарет.

Они злобно уставились друг на друга.

— Это *мой* крюк, — напомнила Мерзкая Маргарет.

Мерзкая Маргарет живет в соседнем доме. Она терпеть не может Ужасного Генри, а тот терпеть не может саму Маргарет. Но если Резкий Ральф занят, Классная Клэр болеет, а Скучная Сьюзан

47

ей смертельно надоела, Маргарет перелезает через забор и предлагает Генри поиграть.

— Вообще-то сейчас моя очередь быть капитаном Крюком, — сказал Послушный Питер. — Мне надоело быть пленником! Я уже полдня просидел в темнице!

— Эй, пленник, молчать! — гаркнул Генри.

— Вздернуть его на рее! — скомандовала Маргарет.

— Вы меня уже пятнадцать раз вздергивали, — заныл Послушный Питер. — Можно, теперь я буду капитаном Крюком?

— Нет, разрази меня гром! — завопила Мерзкая Маргарет. — Прочь с дороги,

червяк! — И она понеслась по «палубе», размахивая крюком и кинжалом.

У Маргарет были пиратские флаги, черные повязки на один глаз, шляпы с перьями, сабли, кинжалы и кортики.

А у Генри только палка.

Поэтому Генри и соглашался играть с Маргарет.

Однако Маргарет ничего не делала за просто так. На что только Генри не приходилось идти для того, чтобы Маргарет дала ему поиграть с этими сокровищами!

То она велела ему сидеть и слушать, как она читает вслух.

То заставляла его играть в дочки-матери. И самое ужасное — только никому не говори — ему приходилось быть ее сынишкой.

Невозможно было угадать, как поведет себя Маргарет.

Когда он посадил ей на плечо паука, Маргарет засмеялась.

Когда он дернул ее за волосы, она дернула его в ответ.

Когда Генри кричал, Маргарет кричала еще громче, или начинала петь, или делала вид, что оглохла.

Иногда с Маргарет было весело. Но чаще всего она вела себя как мерзкая, противная девчонка.

— Отдай мне крюк или я вообще не буду играть, — заявил Ужасный Генри.

Маргарет немного подумала.

— Мы оба можем быть капитанами Крюками, — предложила она.

— Да, только крюк у нас один.

— И я еще ни разу с ним не играл, — встрял Питер.

— МОЛЧАТЬ, пленник! — крикнула Маргарет. — Эй, Сми, брось его в трюм.

— Не хочу, — нахмурился Генри.

— Я щедро отблагодарю тебя, Сми, — пообещала капитанша, помахав крюком.

Сми отволок пленника в трюм.

— Слушай, пленник: будешь вести себя тихо, мы тебя освободим, и тогда ты тоже станешь пиратом, — объявила капитанша Крюк.

— А теперь отдавай крюк, — потребовал Сми.

Капитанша неохотно отдала ему крюк.

— Ура! Я капитан Крюк, а ты Сми! — завопил Генри. — Я приказываю вздернуть всех на рее!

— Мне надоело играть в пиратов, — сказала Маргарет. — Давай поиграем во что-нибудь другое.

Генри не на шутку разозлился. Вечно она так!

— А я хочу играть в пиратов! — не сдавался Генри.

— А я не хочу. Дай сюда крюк.

— Не дам.

Тут Мерзкая Маргарет громко за-
визжала. Визжать Мар-
гарет может до бес-
конечности.

Генри отдал ей
крюк.

Маргарет улыб-
нулась.

— Я проголода-
лась, — заявила
она. — У тебя есть
чем поживиться?

У Генри в ком-
нате хранился
секретный запас
продовольствия:
три пакетика чип-
сов и восемь шоколад-
ных печений — но делиться с Маргарет
он, конечно, не собирался.

— Можешь съесть редиску, — предложил Генри.

— А ничего другого нет? — поинтересовалась Маргарет.

— Морковка.

— И все?

— Нет, есть еще каша-малаша.

— Что за каша-малаша? — удивилась Маргарет.

— Классная штука. Мое фирменное блюдо, — объяснил Генри.

— А из чего ее готовят?

— Секрет.

— Наверняка бяка какая-нибудь.

— Конечно, бяка, — согласился Генри.

— Ерунда, — заявила Маргарет. — Настоящая бяка — это каша-малаша, как я ее готовлю.

— Что ты понимаешь в каше-малаше? Никто в мире не готовит такую противную кашу-малашу, как я.

— Спорим, что ты не съешь свою кашу-малашу?

— Спорим, ты тоже, — подхватил Генри. — Вот и проверим.

— Хорошо. Первым делом надо набрать червяков и улиток. — И Маргарет стала ползать под кустами. — Одна есть! — закричала она и показала Генри жирную улитку. — Теперь надо отыскать червяка. — Маргарет встала на коленки и принялась рыть землю.

— Кашу-малашу можно готовить только из того, что есть в доме, — быстро сказал Генри.

Маргарет уставилась на него.

— А я-то думала, мы готовим кашу-малашу, — протянула она.

— Так и есть. Но ты у меня в гостях, поэтому будем готовить, как скажу я.

Ужасный Генри и Мерзкая Маргарет вошли в кухню, где все сверкало чистотой. Генри достал две деревянные ложки и огромную красную миску.

— Я начинаю, — сказал он.

Генри открыл дверцы шкафчика.

— Овсянка, — объявил Генри и высыпал немного в миску.

Маргарет открыла холодильник, заглянула внутрь и вытащила пластиковый контейнер.

— Пудинг! — крикнула Маргарет и вытряхнула его в миску.

— Капустный салат!

— Шпинат!

— Кофе!

— Йогурт!

— Мука!

— Уксус!

— Тушеная фасоль!

— Горчица!

— Арахисовая паста!

— Заплесне-велый сыр!

— Перец!

— Гнилые апельсины!

— И кетчуп! — завопил Генри и выдавил весь кетчуп в миску.

— А теперь надо хорошенько перемешать, — сказала Маргарет.

Ужасный Генри и Мерзкая Маргарет взяли свои ложки, сунули их в миску и стали мешать. Трудное это было дело. Они мешали все быстрее и быстрее.

Каша-малаша повисла на потолке. Каша-малаша растеклась по полу. Кашей-малашей были заляпаны часы. И даже дверь. У Маргарет волосы были в каше-малаше. Генри перепачкал все лицо.

Наконец Маргарет заглянула в миску. За всю свою жизнь она не видела ничего более противного.

— Готово! — объявила она.

Ужасный Генри и Мерзкая Маргарет поставили миску на стол.

Оба посмотрели на липкую, вязкую, скользкую, клейкую, мерзкую, гадкую кашу-малашу.

— Ну ладно, — сказал Генри. — Кто первым пробует?

Повисла пауза.

Генри поглядел на Маргарет.

Маргарет поглядела на Генри.

— Я! — вызвалась Маргарет. — Я не трусиха!

Она зачерпнула полную ложку каши и сунула себе в рот.

Проглотила.

Маргарет побеле- ла, потом покрас- нела, потом позе- ленела.

— Ну как? — поинтересовался Генри.

— Отлично! — отозвалась Мар- гарет, которую уже здорово под- ташнивало.

— Тогда съешь еще.

— Нет уж. Твоя оче-
редь.

Генри покосился на
кашу-малашу.

— Мама говорит, что
есть надо в определенное
время, а до обеда еще да-
леко, — попытался отвер-
теться Генри.

— ГЕНРИ! — прошипела
Мерзкая Маргарет.

Генри зачерпнул чуточку каши-малаши.

— Бери больше! — рявкнула Марга-рет.

Генри подцепил еще чуть-чуть. Лип-кая каша-малаша противно подраги-вала в ложке. Она была похожа на... Страшно даже подумать, на что она была похожа.

Закрыв глаза, Генри поднес ложку ко рту.

— М-м... Вкуснятина, — промычал он.

— Ты даже не попробовал! — разо-злилась Маргарет. — Так не честно!

Она зачерпнула полную ложку каши-малаши и...

Боюсь даже представить, что бы прои-зошло, если бы им не помешали.

— Можно наконец выйти? — послы-шался тихий голосок из сада. — Моя очередь быть капитаном Крюком.

Ужасный Генри совсем забыл о брате!

— Конечно! — закричал Генри.

Послушный Питер появился в дверях.

— Я хочу есть, — сказал он.

— Заходи, Питер, — ласково позвал Генри. — Обед на столе.

4

....

КАК УЖАСНЫЙ ГЕНРИ ПРОВЕЛ КАНИКУЛЫ

Ужасный Генри ненавидел каникулы.

Больше всего на свете он хотел бы все каникулы валяться на диване, жевать чипсы и смотреть телевизор.

Однако родители считали, что каникулы должны быть другими.

Как-то раз они повезли его посмотреть на замки. Но никаких замков там не оказалось, только груды камней и полуразвалившиеся стены.

— Это была чудовищная ошибка, — сказал Генри.

На следующий год все каникулы родители водили его по музеям.

— Это была чудовищная ошибка! — сказали мама с папой.

В прошлом году они отвезли Генри на море.

Генри ворчал:

— Тут слишком жарко!

Генри ныл:

— Вода холодная!

Генри стонал:

— Еда невкусная!

Генри вопил:

— Постель жесткая!

В этом году родители придумали кое-что новенькое.

— Мы поедем во Францию, найдем уютное местечко на природе, поставим палатку и будем отдыхать, — сказали мама с папой.

— Ура! — закричал Генри.

— Ты в самом деле рад? — удивилась мама.

«Странно, — подумала она, — обычно Генри не кричит ура, когда говоришь ему, где мы проведем каникулы».

— Еще бы!

Ну наконец-то, наконец-то они придумали что-то интересненькое! Генри знал, что нет ничего лучше такого отдыха. Мерзкая Маргарет хвасталась, как она с родителями все лето прожила в огромной палатке. Там были широкие кровати, здоровенный холодильник, большущая плита, а еще туалет, душ и суперский телевизор. Он ловил пятьдесят семь каналов! Мерзкая Марга-

рет плавала в бассейне с подогревом и каждый вечер плясала на дискотеке.

— Во класс! — восхитился Ужасный Генри.

— Бонжур, — сказал Послушный Питер.

И вот великий день настал. Ужасный Генри, Послушный Питер и мама с папой сели на пароход и поплыли во Францию.

Генри и Питер еще никогда не бывали на пароходе.

Генри скакал по сиденьям.

Питер рисовал в своем альбоме.

Пароход качался на волнах: вверх-вниз, вверх-вниз.

Генри носился взад-вперед.

Питер клеил наклейки в свой блокнотик.

Пароход качался на волнах: вверх-вниз, вверх-вниз.

Генри обнаружил вертящееся кресло и стал на нем крутиться.

Питер играл со своими игрушками.

Пароход качался на волнах: вверх-вниз, вверх-вниз.

Генри и Питер пообедали: съели гору сосисок и жареной картошки.

Пароход качался на волнах: вверх-вниз, вверх-вниз, вверх-вниз.

Генри стало нехорошо.

Питеру тоже стало нехорошо.

Генри позеленел.

Питер тоже позеленел.

— Кажется, меня сейчас стошнит, — сказал Генри, и его вправду тут же стошнило прямо маме на юбку.

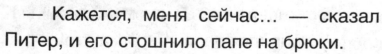

— Кажется, меня сейчас… — сказал Питер, и его стошнило папе на брюки.

— О господи! — ахнула мама.

— Ерунда, — успокоил ее папа. — Ничто не испортит нам эти чудесные каникулы.

Наконец пароход приплыл во Францию.

Они сели на машину и поехали. Ехали они долго-долго. А потом увидели лагерь.

Генри о таком и не мечтал! Палатки огромные, как настоящие дома. Громко играет музыка, надрывается телевизор, дети плещутся в бассейне и визжат. И в ярко-голубом небе светит солнышко.

— Ой как здорово! — воскликнул Генри.

Но они почему-то здесь не остановились.

— Куда вы? — завопил Генри. — Остановитесь!

— Остановиться? В этом жутком месте? — удивился папа. — Ни за что!

И они поехали дальше.

— Вот это *подходящее* место! — объявил папа. — Здесь мы и поставим палатку.

Под серым, затянутым тучами небом расстилалось голое каменистое поле, по которому вовсю гулял ветер. Тут были три крошечные палатки, несколько жалких деревьев и колонка. А больше тут ничего не было.

— Какая прелесть! — вскричала мама.

— Какая прелесть! — вскричал Питер.

— Эй, а где телик? — вскричал Генри.

— Что ты? Зачем тебе телевизор? — удивилась мама. — У нас с собой много интересных книжек.

— А где кровати? — спросил Генри.

— Зачем тебе кровати? У нас же есть спальные мешки!

— А где бассейн? — не унимался Генри.

— Зачем он тебе? Можно купаться в речке.

— А где туалет? — спросил Питер.

Папа указал на дощатый сарайчик вдалеке. Три человека стояли в очереди.

— Что, так далеко ходить? — изумился Питер. — Нет-нет, это даже хорошо, — быстро добавил он.

Мама с папой принялись доставать вещи из багажника. Генри хмурился.

— Кто поможет мне поставить палатку? — спросила мама.

— Я! — крикнул папа.

— Я! — крикнул Питер.

Генри ужаснулся.

— Мы что, будем жить в нашей крошечной палатке?

— Ну конечно, — ответила мама.

— Мне здесь не нравится, — заявил Генри. — Лучше бы мы остановились там, где я говорил.

— Но разве там отдохнешь? В тех палатках кровати, души, туалеты, холодильники, плиты и телевизоры! Отвратительно. — Папа передернул плечами.

— Отвратительно, — повторил Питер.

— К тому же у нас такая уютная палат-

ка, — добавила мама. — Никаких совре-
менных штучек, самая обычная: брезент и
деревянные колышки.

— Ну и что? А я хочу туда! — не унимался Генри.

— Мы останемся здесь, — твердо сказал папа.

— НЕТ! — крикнул Генри.

— ДА! — крикнул папа.

Должна сказать, что по-
сле этого Генри закатил
истерику. И так долго,
так громко и так про-
тивно он не вопил
никогда в жизни.

Думаете, такому
гадкому мальчику,
как Генри, нравится
спать на камнях в
промокшем спаль-
ном мешке, да еще
и без подушки?

Ошибаетесь!

Генри лю-
бит уютную
постельку.

Генри лю-
бит накрах-
маленные
простыни.

Генри лю-
бит горячую
ванну.

Генри любит
вкусно покушать.
Генри любит теле-
визор. Генри лю-
бит, когда шумно.

Он терпеть не может холодный душ, све-
жий воздух и тишину.

Где-то вдалеке громко играла музыка.

— Какое счастье, что мы не остались
в том ужасном шумном лагере! — радост-
но заявил папа.

— Это точно, — кивнула мама.

— Это точно, — повторил за ней Послушный Питер.

Генри вдруг превратился в бульдозер, который рушит палатки и давит несчастных туристов.

— Генри, не повали палатку! — заорал папа.

Генри превратился в голодного тираннозавра Рекса.

— Мамочки! — заверещал Питер.

— Как ты себя ведешь, гадкий мальчишка! — крикнула мама Генри.

Она поглядела на затянутое тучами небо и заметила:

— Кажется, сейчас пойдет дождь.

— Не переживай, — успокоил ее папа. — Дождь еще ни разу не испортил мне отдых на природе!

— Вот и прекрасно, — сразу успокоилась мама. — Тогда мы с мальчиками соберем дров для костра.

— Я никуда не пойду, — заявил Ужасный Генри.

Пока папа разводил костер, Генри включил магнитофон на полную мощность и стал отплясывать под чудовищные ритмы супергруппы «Убойные Крысы».

— Генри! Сейчас же сделай тише!

Генри прикинулся глухим.

— ГЕНРИ! — во всю мочь заорал папа. — СДЕЛАЙ ТИШЕ!

Генри сделал тише, только совсем-совсем чуть-чуть.

От грохота «Убойных Крыс» дрожали все палатки в лагере.

Повылазили недовольные туристы. Они что-то кричали и грозили кулаками.

Папа решительно выключил магнитофон.

— В чем дело, папочка? — ласково спросил Генри.

— Ни в чем.

Тут вернулись мама и Питер с целой грудой хвороста.

Начал моросить дождик.

— Как же здесь здорово! — проговорила мама, пришлепнув на щеке комара.

— Это верно, — согласился папа, разогревавший на костре четыре банки с консервированной фасолью.

Дождик превратился в настоящий ливень.

Ветер усилился.

Огонь зашипел и потух.

— Ерунда, — бодро сказал папа. — Фасоль можно есть и холодной.

Мама спала.

Папа спал.

Питер спал.

А Генри все ворочался и ворочался. Спальный мешок был мокрым. К тому же Генри никак не удавалось улечься так, чтобы в бока не впивались острые камни.

Над головой летали тучи комаров.

«Я никогда не засну, — подумал он и лягнул Питера. — А еще четырнадцать дней такое терпеть!»

На пятый день в четыре часа вся семья сидела в холодной, мокрой и вонючей палатке и слушала, как снаружи воет ветер и стучит дождь.

— Пора прогуляться! — объявил папа.

— Отличная мысль, — поддержала мама, громко чихнув. — Только надену сапоги.

— Отличная мысль, — повторил Питер и тоже громко чихнул. — Только надену дождевик.

— Но ведь там льет как из ведра! — возмутился Генри.

— Ну и что? — удивился папа. — По-моему, отличная погода для прогулки.

— Я никуда не пойду, — заявил Ужасный Генри.

— А я пойду, — сказал Послушный Питер. — Я не боюсь дождя.

Папа выглянул из палатки.

— Дождь перестал, — заметил он. — Сейчас снова разведу костер.

— Я никуда не пойду, — повторил Генри.

— Только дров маловато, — задумчиво проговорил папа. — А! Дрова как

раз и соберет Генри, раз он не хочет с нами идти. Но помни: они должны быть сухими.

Генри высунул голову из палатки. Дождь и вправду перестал. Но по небу все еще гуляли тучи. Костер шипел.

«Не буду я ничего собирать, — подумал Генри. — В лесу грязно и противно».

Он огляделся: нет ли подходящих деревяшек поблизости.

И тут Генри заметил толстые деревянные колышки — совершенно сухие. Прав-

да, к ним были привязаны веревки, державшие палатки.

Генри посмотрел налево.

Генри посмотрел направо.

Никого.

«Если взять по нескольку колышков у каждой палатки, — подумал он, — никто и не заметит».

Вернувшись с прогулки, мама с папой очень обрадовались.

— Какой замечательный получился костер, — восхитилась мама.

— Ты молодец. Нашел все-таки сухие дрова! — похвалил папа.

Тут снова подул ветер.

Генри снилось, что он барахтался в холодной реке. Барахтался изо всех сил.

Генри проснулся, тряхнул головой. Он действительно барахтался в холодной и грязной воде, заполнившей всю палатку.

И тут палатка рухнула прямо на них.

Генри, Питер и их родители долго стояли под дождем и смотрели на свою зато-
нувшую палатку.

Остальные туристы тоже стояли под дождем и смотрели на свои затонувшие палатки.

Питер чихал.

Мама чихала.

Папа чихал.

Генри чихал, кашлял и шмыгал носом.

— Странное дело, — нахмурился папа. — Эта палатка еще ни разу не падала.

— Что же нам теперь делать? — спросила мама.

— Придумал! — воскликнул Генри. —
У меня отличная мысль!

Через два часа мама, папа, Генри и Питер сидели на диване в огромной, как настоящий дом, палатке, жевали чипсы и
смотрели телевизор.

И в ярко-голубом небе светило солнышко.

— Вот это каникулы так каникулы! —
радовался Генри.

Литературно-художественное издание
Для среднего школьного возраста

Серия «Ужасный Генри»

Саймон Франческа

УЖАСНЫЙ ГЕНРИ

Ответственный редактор *А. В. ЕВМЕНОВА*
Арт-директор *О. В. КЛЯВЕНЬ*
Технический редактор *А. М. ЖДАНОВА*
Корректор *Л. А. ЛАЗАРЕВА*

*Издание подготовлено компьютерным центром
издательства «РОСМЭН».*

Подписано к печати 14.12.09.
Формат 60 × 84 $^1/_{16}$. Бум. офсетная.
Гарнитура «Helios». Печать офсет.
Усл. печ. л. 5,58. Тираж 5000 экз. Заказ № 11494.

ЗАО «РОСМЭН-ПРЕСС».
Почтовый адрес:
127018, Москва, ул. Октябрьская, д. 4, стр. 2. Тел.: (495) 933-71-30.
Юридический адрес:
129301, Москва, ул. Бориса Галушкина, д. 23, стр. 1.

*Наши клиенты и оптовые покупатели могут
оформить заказ, получить опережающую информацию
о планах выхода изданий и перспективных проектах
в Интернете по адресу:* **www.rosman.ru**

ОТДЕЛ ПРОДАЖ:
(495) 933-70-73; 933-71-30.
(495) 933-70-75 (факс).

Отпечатано в ОАО «Тульская типография».
300600, г. Тула, пр. Ленина, 109.